悠悠长假

❶ 奇怪的战争

〔法〕米歇尔·莱迪耶
(Michel Leydier) ◎ 著

〔法〕埃米尔·布拉沃
(Emile Bravo) ◎ 绘

水冰◎译

北京科学技术出版社
100层童书馆

故事中的
主人公

克洛蒂

漂亮又顽皮，
口齿伶俐。

欧内斯特

温柔又活泼，
比自己想象得更加
勇敢机智。

小泥巴

外公为克洛蒂买的宠物小猪。

妈妈露西

勇敢又坚强，
正在与病魔抗争。

爸爸罗伯特

善良又热情，
总能化险为夷。

外公帕皮卢

有点儿粗鲁，
心直口快，
但对孙辈们特别关爱。

外婆玛米丽

很有原则，
对孩子们很温柔，
总是替他们说话。

加斯顿·莫尔托
马赛隆·莫尔托

虽然有点儿调皮，
但都不是坏孩子。

费尔南德·格贝尔

阿尔萨斯人，
为躲避德国军队的迫害，
刚刚来到诺曼底。

铃兰

勇敢、野性十足，
成熟得让人吃惊。

吉恩

镇长的儿子，
欧内斯特在格朗维尔的
第一个朋友，很有教养，
又很幽默。

抵达格朗维尔

欧内斯特今年十岁，他有一个妹妹，叫克洛蒂，今年六岁。他们兄妹俩和爸爸罗伯特、妈妈露西一起住在法国巴黎。1939年夏天的一个清晨，他们一家四口开车去诺曼底的格朗维尔看望外公外婆。暑期旅行是他们每年夏天的固定安排，然而这一次，欧内斯特和克洛蒂都没有料到，他们将在旅行的目的地度过一个终生难忘的漫长假期……

汽车离开热闹的巴黎，穿过宁静的郊区，最后像驶向大海的小船一般进入了被森林环抱的乡村。欧内斯特和克洛蒂挤在汽车后座，对这次旅行感到无比兴奋。一路上，他们俩眼睛睁得大大的，一眨不眨地瞧着窗外的风景，生怕错过什么好玩的东西。

汽车开了好几个小时，当拐过一个小山脚后，眼前的风景一下子变了样。啊！远处冒出一片大海，在阳光下闪闪发光。

"快看！"欧内斯特喊道。

"我们去捡贝壳好吗？"克洛蒂问。

当然，这不是他们第一次看到海，可看到大海的那一刻，他们还是感觉像看变魔术一样奇妙。

很快，汽车驶入格朗维尔，开到了一条满是碎石的小路上。路边有两个男孩提着牛奶罐，气呼呼地瞪着这几个从巴黎来的人。克洛蒂认出了他们，冲着他们吐了吐舌头，其中一个小男孩往地上吐了口唾沫当作回应。看来，他们的到来并没有受到所有人的欢迎。

爸爸把车停在田野上一座诺曼式的小房子前，按了几声喇叭。

听到声音，外公外婆马上出来迎接他们。克洛

蒂抱着她的洋娃娃跳下车，一头扑进了外婆的怀里。

"外婆，我好想你！"

"我也想你，克洛蒂！"外婆说。

外婆玛米丽温柔地亲吻了女儿露西和两个孩子，然后满脸担忧地望向女儿，显然很担心她的健康。

"你还好吗，亲爱的？你的脸色不太好……"

"妈妈，是城里的空气不好，你知道的……"

外公帕皮卢也亲了亲女儿和两个孩子，随后跟正在从后备厢拿行李的孩子爸爸打了个招呼。

"嘿，罗伯特，巴黎那边有什么消息吗？"

"情况不是很好，爸爸。"

罗伯特把离开巴黎前买的报纸递给帕皮卢。帕皮卢扫了一眼新闻头条，皱了皱眉头。

"他们又在瞎折腾了吧？"

大人们互换着凝重的眼神。距离第一次世界大战才过了二十一年，一场新的大战再次于欧洲中心暗流涌动。

欧内斯特拿起一根棍子——他就爱拿着棍子在

空中挥来挥去。不过他已经是大孩子了，能听懂一些大人们的话，所以也有些担心。年纪还小的克洛蒂则一脸天真，只顾追着外公外婆家的猫乱跑。猫被吓得慌慌张张的，一下子跳到院子里的架子上，躲在了干草后面。

"孩子们！咱们去珍妮家买点儿食材做好吃的蛋糕吧！"外婆喊道。

"太棒啦，我们能看动物喽！"克洛蒂兴奋地大喊，迫不及待地准备出发。

欧内斯特却没这么积极。

"我不想去莫尔托家！我不喜欢去那儿。"

"别任性了，快走吧！"外婆说。

外婆拿了一个牛奶罐递给欧内斯特，他只好乖乖接过，垂头丧气地跟在妹妹和外婆身后。

爸爸妈妈和外公则负责把行李拿进屋。

2

莫尔托农场

乡间小路的两侧，青草葱郁，大树挺立。克洛蒂和外婆走在前面，欧内斯特拿着空罐子跟在后面，嘴里一直嘟嘟囔囔的。克洛蒂的嘴也没闲着："外婆，今年我就要学阅读和写字了，以后就能经常给您写信，告诉您巴黎发生的事了……"

突然，一群牛吸引了克洛蒂的目光。她急忙冲向栅栏，冲牛群使劲地挥着手。有几头牛转过头来，"哞——哞——"地大声跟她打招呼，逗得她哈哈大笑。

突然，一阵丁零丁零的车铃声传了过来。外婆和

孩子们赶忙回过头，原来是邮递员约翰·巴蒂斯特骑着自行车从他们旁边经过。巴蒂斯特大约三十岁，高高瘦瘦的，总是乐呵呵的。他戴着一副眼镜，镜片厚厚的。

"小朋友们，你们好！"他一边挥手，一边热情地打招呼。

这时，有一只小动物嗖的一下从巴蒂斯特的自行车前跑过。巴蒂斯特发现时已经太晚了，为了避开小动物，他猛地扭动车把，结果自己摔进了路边的沟里，摔得四脚朝天。

外婆吓得赶紧跑过去。

"你没事吧，巴蒂斯特？"

巴蒂斯特艰难地站了起来，整理了一下帽子和眼镜。

"那只小动物差点儿害死我！"

"哪里有动物？"外婆问。

"你们没看见它跑过去吗？"他指着小路的另一边，惊讶地问。

克洛蒂朝小动物藏身的灌木丛走去。欧内斯特谨慎地拦住了她，提醒道：

"小心点儿！我们都不知道那是什么动物！"

这时，一只小猪从灌木丛里钻了出来，跑过来嗅克洛蒂的膝盖。

"哦！好像是珍妮家的猪！咱们正好顺路把它送回去。"外婆说。

"它好可爱呀！"克洛蒂被小猪迷住了。

巴蒂斯特还在修理自行车链条，外婆跟他道了别，然后抓住了小猪。

"咱们走吧！"

他们继续朝着莫尔托家的农场走去。由于小猪太兴奋，不停地乱动，外婆只好把它放了下来。克洛蒂在前面开心地跑着，小猪紧紧跟在她身后。

"外婆，你快看，它会跟着我跑呢！"

外婆和欧内斯特都笑了。

三个人一走进农场院子，就看到拴在狗窝旁的一条叫"十四"的老狗站起来，冲他们汪汪大叫。珍妮·莫尔托是克洛蒂一家刚到这里时在路上碰到的那两个男孩的妈妈。她此时正在拔鸡毛。

"别叫了，十四！"她向狗呵斥了一句，然后跟

客人打招呼道："你来啦，玛米丽！"

"啊，原来它又跑出去了！"珍妮看着那只总围着克洛蒂跑的小猪，说道，"这只猪就爱到处乱跑！"

"我们在路上看到了它。"外婆解释道。

珍妮嘴里说着话，手里也没停下拔毛的动作，鸡毛在她周围飞舞着。欧内斯特和克洛蒂惊讶地看着她，心里有点儿嫌弃。

"怎么了，小巴黎人？"她笑着问，"想吃肉就得杀鸡呀！"

"珍妮，我来买点儿牛奶和鸡蛋！"外婆说。

于是珍妮向她的儿子们喊道：

"加斯顿！马赛隆！"

两兄弟立刻从高高的谷仓里冲了出来。看见欧内斯特，哥哥马赛隆不怀好意地瞪了他一眼。

"加斯顿，"珍妮说，"拿这个去装一罐牛奶。马赛隆，你带着欧内斯特去掏鸡蛋。"

加斯顿一声不吭地跑开了，马赛隆示意欧内斯特跟他走。

两个男孩走到谷仓里的鸡舍旁，马赛隆打开鸡舍的门，把一个篮子塞到欧内斯特手里：

"自己进去掏吧，小巴黎佬！"

二十多只鸡正在架子上面孵蛋，看到这个场景，欧内斯特没敢往里走。他从来没有这样掏过鸡蛋，更不敢把手伸到鸡身边，只好站在原地犹豫着。

"快点儿吧，鸡蛋又不会自己跑到篮子里来。"马赛隆催促道。

欧内斯特又犹豫了一会儿，终于鼓起勇气走进鸡舍，准备伸手掏鸡蛋。鸡发现有陌生人闯进来，惊恐地咯咯咯叫起来。这时，马赛隆悄悄跑出去，砰的一声关上了门，然后在外面大力敲打鸡舍，吓得鸡到处乱飞。

欧内斯特吓坏了，几步冲到门口，可马赛隆把门关得紧紧的，一直不给他打开。

"让我出去！快开门！"欧内斯特一边喊，一边拼命地敲门。

"怎么啦，小巴黎佬？害怕鸡呀？哈哈哈……"

听到喊声，莫尔托家的老大皮埃尔跑了过来。他已经长得像个大人了，自从莫尔托先生去世后，他

就成了家里的顶梁柱。

"你闹够了没有？"皮埃尔怒吼着，在弟弟马赛隆的后脑勺上重重地拍了一巴掌。

"我什么都没干呀！"马赛隆揉着后脑勺，委屈地抗议道。

皮埃尔打开鸡舍的门，欧内斯特火速从里面逃了出来。可没跑几步，他就一脚踩进了一摊泥里，摔了个大跟头。

马赛隆大笑起来。

"别笑了，赶紧把鸡蛋装进篮子！"皮埃尔说道。

几分钟后，他们三个人回到了珍妮和外婆身边。

看到浑身是泥的欧内斯特，珍妮问："哎呀，这小家伙怎么弄成这样了？"

皮埃尔说："马赛隆一直捉弄他。"

而不远处，克洛蒂正和小猪玩得开心。

"好了，孩子们，咱们该走了。"外婆说，"珍

妮，谢谢你，再见！"

"外婆，我们能带它回家吗？"克洛蒂问，"拜托了，求你了。"

当然，她指的是她的新伙伴——小猪。

"这可不行，这是珍妮家的猪。再过六个月，它就会被养得肥肥的，变成餐桌上的美食啦。"

虽然知道外婆不会改变主意，但克洛蒂仍然求了又求。

最后，外婆还是没有答应，带着孩子们离开了农场。临别时，欧内斯特和马赛隆又互相瞪了对方一眼。

3

宣　言

　　帕皮卢正专心修补着鸽笼的铁丝网，顺带用木板加固了几处墙壁。克洛蒂抱着一只鸽子在外公身旁转来转去。

　　"这只鸽子好像想飞走。"

　　"那就放开它，让它去看看外面的世界！"外公这样回答克洛蒂。

　　克洛蒂把鸽子抛向空中，鸽子拍拍翅膀就飞走了。

　　他们一起看着那只鸽子在阴沉沉的天空中越飞越远。

"它会飞回来的，对不对？"克洛蒂的小脸上带着一丝忧伤。

"以后就知道了，但愿它会飞回来，小克洛蒂。"外公轻声说着。

假期快要结束了，欧内斯特闲得没事干，无聊地用棍子在地上乱画。他想回巴黎，也非常想念他在巴黎的朋友。

"外公，我好无聊啊，都没什么事做。"

外公转过头看着他：

"你真是个城里娃！在乡下有很多事情可做，你去年夏天不是还盖过小屋吗？"

欧内斯特瞬间两眼放光，兴奋地跳了起来。

"对呀，小屋！我现在就去！"

"我也去。"克洛蒂说。

说完，两个孩子就朝森林跑去。

"注意安全！"外公对着跑远的二人的背影大声叮嘱。

来到森林中，克洛蒂拿着棍子在一个小水塘边玩水，欧内斯特则笨手笨脚地试图用树枝搭建小屋的框架。可是绳子绑得不够结实，他显得有些手足无措。

这时，爸爸来了。

"孩子们，小屋盖得怎么样了？"

"不怎么样，根本支撑不住。"欧内斯特不满地嘟囔道。

"爸爸来帮你。我像你这么大的时候，可是个盖房小能手呢。房子要想盖得结实，秘诀在于打结！"

爸爸从口袋里掏出一把小刀，把所有树枝的

一端削尖，然后把树枝的尖端深深地插进土里，围成一个圆圈，再把树枝的另一端拢住，用绳子紧紧地绑在一起。很快，一个像小帐篷一样的框架就搭好了。

"看！这就好啦！"爸爸高兴地喊道，"现在用细树枝把这些空当补上就行啦。"

"爸爸，你太厉害啦！"克洛蒂兴奋地大声喊道。

"我们还可以用木头做一张桌子和几把椅子，这样你们就能在这儿野餐啦。"

"好呀！"克洛蒂开心地附和道。

可是，欧内斯特低下了头。

"没有时间了，我们得回巴黎了。"

"别担心，下次放假时，我们可以接着盖。"

这时，妈妈手捧一束野花走了过来。

"这儿美得简直像一座宫殿！"她温柔地说，"孩子们，你们干得真棒！我来给你们的宫殿添点儿色彩。"

她刚把花插上屋顶，突然剧烈地咳嗽起来。

爸爸吓得脸色苍白，赶忙跑过去：

"露西，你没事吧？"

妈妈缓了缓，想开口安慰爸爸，却咳嗽得更厉害了。

两个孩子互相看了一眼，眼里满是担忧。妈妈最近经常突然咳嗽，大家都不知道该怎么办。爸爸心疼地搂住妈妈的肩膀。

"露西，你需要好好休息，我送你回去吧。孩子们，记得按时回来吃点心。"

孩子们知道妈妈得了肺结核[1]。

他们静静地看着爸爸妈妈慢慢朝外公外婆家走去。当看不见爸爸妈妈的身影后，欧内斯特才第一次走进刚搭好的小屋。

傍晚，三代人围坐在厨房的餐桌边。外婆把刚从烤箱里拿出来的苹果派切开，外公把耳朵紧紧贴在收音机上。

这一天是1939年9月3日。

---

1 肺结核在当时是很难治愈的肺病。

总理爱德华·达拉第正在对全国发表讲话。

"现在国际形势很严峻。两天前，德国攻击了我们的盟友波兰，他们想统治整个欧洲。法国和英国的所有努力都未能改变希特勒的想法。我们不能再退缩了。"

外公关掉收音机，站了起来。

"开战了！"他的声音既沉痛又严肃。

爸爸、妈妈、外婆三个大人一下子都愣住了，外婆甚至吓得手一抖，把切苹果派的刀掉在了地上。两个孩子不太明白这个消息意味着什么，只是迷茫地看着大人们。外公默默坐下，气氛变得越来越凝重。终于，爸爸打破了沉默。

"别怕，我们有马其诺防线¹，德国人攻不破的。"

"谁也挡不住那些德国佬！"外公喃喃地说。

"别担心，爸爸，咱们的军队比他们的强多了！打这场仗，就和散步一样轻松！"

---

1 第一次世界大战后，法国为防止德国入侵，在边境上构筑的永备筑垒配系。

外公受不了爸爸这么轻描淡写地谈论战争。

"你父亲在1914年也是这么说的！但他再也没回来！不要把战争当儿戏！"说着，外公愤怒地拍了一下桌子。

气氛变得更加紧张了。孩子们都吃惊地看着外公，这还是他们第一次看到外公如此激动。

外婆狠狠地瞪了爸爸和外公一眼。

"够了，你们俩不许再吵了！"

大家都低下头，默默地吃起了苹果派。

4

分　离

　　宣战的消息一传开，可怕的事情就跟着来了。适龄的男子都得参军，爸爸也必须去打仗。他和妈妈坐在花园的长椅上商量对策，把能想到的主意都想了个遍。爸爸认为，孩子们应该留在这里，跟外公外婆一起生活，等情况好点儿再说，可是妈妈怎么都不愿意接受这个现实。

　　"如果你去打仗，孩子们又留在这儿，那我一个人该怎么办？"

　　爸爸把妈妈抱在怀里，试图安慰她：

　　"你先去治病，亲爱的。我相信孩子们在这里会过得很好。这场战争不会持续太久的。"

　　离他们不远的地方有一座房子，欧内斯特突然从里面冲了出来。他刚才听到了爸爸妈妈的谈话，生气地瞪了他们一眼，又转身跑回房里躲了起来。

　　"欧内斯特！"妈妈喊道。

　　她赶忙站起来追了进去，发现欧内斯特正蜷坐

在床上，头埋在膝盖中间。

"欧内斯特，我的宝贝。"

"你不是说过要带我们回巴黎吗？"欧内斯特质问道。

"我是说过，但是……情况变了。你爸爸必须去打仗，而我要去瑞士治病。"

男孩忍不住哭了起来。

"那我和妹妹怎么办？"

"我们会尽快回来接你们的。你和妹妹待在这里很安全，而且你还能趁这段时间把小屋盖好。"

"我才不在乎什么小屋！"欧内斯特喊道。他沉默了一会儿，继续说：

"还有克洛蒂，你们也不管她了吗？"

"我相信你一定能照顾好她。"妈妈回答。

这时克洛蒂突然闯了进来。

"你知道了吧，欧内斯特？我们都要留下来跟外公外婆住在一起啦！这会是一个超级长的假期！"

她看起来开心极了。然后她转向妈妈，依偎在妈妈怀里说：

"可我舍不得你走，妈妈。"

欧内斯特也钻进了妈妈怀里。爸爸一直跟着克洛蒂，这时也走过来，把他们三个一起抱住了。

"别太担心！说不定战争在开学前就结束了，我们很快就能一起回家了，就像以前一样！"

妈妈叹了口气，心里一点儿都不相信这些话。

几天后，爸爸和妈妈就要出发了。爸爸和外公忙着把行李箱塞进汽车后备厢。妈妈蹲下来紧紧抱着孩子们，心里满是悲伤。克洛蒂忍不住哭了起来。

"别哭，克洛蒂，我会想你们的。"妈妈强忍着眼泪，一边说，一边擦干女儿的泪水。

"妈妈，你保证很快就会来接我们，对吗？"

"我保证，我的宝贝。我们很快就会回来的。"

妈妈又亲了亲孩子们，努力克制着自己的情绪。外婆在一旁默默地看着他们。

"好了，东西都带齐了！"爸爸一边说，一边关上后备厢。

　　克洛蒂扑进爸爸怀里，欧内斯特也投入了他的怀抱。

　　亲吻了外公外婆后，妈妈坐上了车，这离别的场景几乎让她心碎。爸爸从车里拿出一根棍子递给欧内斯特。

　　"看，儿子，这是我给你做的！"

　　欧内斯特惊讶地看着这个东西。

　　"啊！上面刻着我的名字！"他喊道。

　　"是的，还有这本书！"爸爸又递给他一本书。

　　"《鲁滨逊漂流记》，谢谢爸爸！"

"以后轮到你给妹妹念这本书了！记住，一定要照顾好她！"

他再次把孩子们抱在怀里，然后坐到了汽车驾驶座上。

"回头见！"他说。

"妈妈，要快点儿回来呀！"克洛蒂大声喊着跑过去，满是泪水的小脸贴在车窗上，望着妈妈。

妈妈也流泪了，但还是勉强挤出一个微笑，把悲伤都藏在了心里。

"赶紧开车吧，罗伯特，求求你。"她低声说。

　　汽车发动了。爸爸和妈妈难过极了。克洛蒂在后面追着车跑，一遍遍地大声喊着"妈妈"。她那撕心裂肺的喊声把妈妈的心都揉碎了，妈妈再也忍不住，放声大哭起来。

　　等到汽车完全从视线中消失，克洛蒂才停了下来，喊了最后一声："妈妈！"眼泪怎么都止不住了。

　　外婆走到她身边，她一头扑向外婆的裙摆。欧内斯特则躲在外公身旁，努力不让自己哭出来。可最终他还是没忍住，突然大哭着跑回了屋。

　　"这可恶的战争！"外公叹了口气。

　　那天晚上，欧内斯特和克洛蒂独自入睡，这还是头一回睡觉前没有爸爸妈妈的吻。他们坐在各自的床上，两张床中间隔着一个小柜子。欧内斯特正准备看爸爸给他的书时，克洛蒂突然跑到他的床上，依偎在他身边。

　　"你不在妈妈的床上睡吗？"欧内斯特问。

　　"我觉得有点儿冷。"

　　欧内斯特愣了一会儿，正想着怎么安慰妹妹，就听克洛蒂问道：

"爸爸会像外公说的那样战死吗？"

"不会的，别担心！爸爸是最强壮的人，他不会

有事的……睡吧，克洛蒂！"

他吻了吻妹妹的额头，然后沉浸在《鲁滨逊漂
流记》的冒险故事里。

5

一个新伙伴

爸爸妈妈已经离开好几个星期了，欧内斯特和克洛蒂在逐渐适应新生活。夏天眼看就要结束了。

欧内斯特每天都会去小屋那里。小屋每天都有新的变化，变得越来越漂亮。

有一天早晨，欧内斯特看见加斯顿和马赛隆提着裤子从小屋里走了出来。看到他们在自己的地盘上，欧内斯特很生气，举起爸爸为他做的棍子就要把他俩赶走。加斯顿和马赛隆笑着跑掉了。欧内斯特跑进小屋一看，发现他们竟然在里面拉大便了。

"哼，这两个坏蛋！"欧内斯特气得直跺脚。

他气呼呼地往家走，打算把这件事告诉外公外婆。可在路上，他碰到了一件意想不到的事情。珍妮家的小猪从树林里钻了出来，正好来到了他的面前。欧内斯特的火气一下子就消了。他弯下腰，轻轻摸了摸小猪的鼻子。

"你也讨厌莫尔托两兄弟，对吧？"

这时，一个念头浮现在他的脑海。他决定不告诉外公外婆今天早上发生在小屋里的事了……

过了一会儿，他赶紧跑回家找克洛蒂。克洛蒂正坐在厨房的桌子旁画画，外婆正在准备午饭。他走进厨房，朝妹妹使了个眼色。

"外婆，今天我们能去小屋野餐吗？"他问。

"当然可以，欧内斯特！我做点儿好吃的装进野餐篮。"

中午时分，欧内斯特和克洛蒂来到了小屋外。欧内斯特挪开挡在入口处的树枝，说：

"快看！"

克洛蒂把头探进小屋，高兴得叫了起来。

"啊！是小猪！是小猪！谢谢你，欧内斯特！"

小猪在克洛蒂身边蹦来蹦去，和她一起跌在草地上闹成一团。

欧内斯特看到妹妹这么开心，自己心里也很高兴。不过他很快又变得严肃起来。

"听着，克洛蒂！千万别让外公知道它在这里，明白吗？"

"放心吧，我会守住秘密的！"

他们三个开始野餐，很快就把外婆准备的一篮子食物都吃光了。

"你可真是个贪吃鬼！"克洛蒂对小猪说。

一回头，小猪就跑到树林后面不见了。欧内斯特和克洛蒂立刻追了上去。

"小猪，回来！"克洛蒂大声喊道。

没跑多远，他们碰到了一个和欧内斯特差不多大的女孩。女孩看起来有点儿粗野，头发也没梳好，乱糟糟的，怀里正抱着那只小猪。这显然不是女孩第一次躲在树后看巴黎来的两兄妹了。她一句话没说，直接把小猪递给了他们，克洛蒂赶忙接过小猪。

欧内斯特有点儿不好意思，想解释一下：

"谢谢……但是……这不是我们的猪……我们会把它还回去的……"

女孩依然没回应，转身消失在森林里。

"她是谁？"克洛蒂问。

"我不知道。我只希望她不会去告密。"

那只小猪从克洛蒂的怀里跳了下来，跑到泥坑里打起了滚儿。

克洛蒂见此大笑起来。

"看，它好像很喜欢玩泥巴！我们就叫它小泥巴吧！"

第二天吃早饭时，欧内斯特偷偷藏了一个苹果，打算拿去喂小泥巴。克洛蒂也想藏一个面包，可欧内斯特用一个眼神制止了她。

"不能拿这个！"他轻声说，"会被发现的！"

克洛蒂只好将面包换成了外婆刚削好的胡萝卜。

这时，门突然开了，珍妮出现在门口。

"早上好，玛米丽！早上好，孩子们！"

外婆连忙转过身来迎接珍妮："珍妮，进来吧！"

"你们看到我的猪了吗？那个小坏蛋又跑出去了！"

两个孩子一听，紧张得大气都不敢出。

"没看到。"外婆回答，"要是看到了就告诉你！好吗，孩子们？"

欧内斯特和克洛蒂点了点头。

"你想喝点儿咖啡吗，珍妮？"外婆邀请道。

"不了，我要走了，我得赶紧找到它。猪要是丢了，我就要损失一大笔钱！回头见！"

珍妮走后，克洛蒂问：

"外婆，她为什么说会损失一大笔钱？"

外婆看着克洛蒂说：

"一只猪能让一家人吃上好几个月呢，所以要是丢了就麻烦了。"

克洛蒂惊讶得睁大了眼睛。

"什么，他们会把猪吃掉？"

"哎呀！这还用问吗？你平时吃的火腿、香肠、馅饼，都是猪肉做的啊。"

克洛蒂转过头，看向厨房里挂着熟肉的角落。一想到小泥巴可能会被吃掉，她心里就很不舒服。她从椅子上跳了下来。

"我吃饱了。走吧，欧内斯特。"

欧内斯特跟着妹妹走出厨房。他们朝着小屋走去，可外公拿着耙子拦住了欧内斯特：

"你得留下来干活，我需要你帮忙。"

欧内斯特叹了口气，让克洛蒂一个人先去小屋。

他迅速将花园另一头外公指定的那块地上的草除完，然后赶紧跑去小屋找妹妹。可是小屋里空荡荡的，小猪和妹妹都不在。欧内斯特只好回家，爬上楼后发现克洛蒂正在他们的房间里。

"克洛蒂，小泥巴不见了！"他沮丧地说，"它肯定又跑了！"

然而他不知道的是，房间里并非只有克洛蒂一个，她的床下面正有什么东西在动呢。

6

外公的礼物

克洛蒂竖起食指，轻轻贴在嘴边说：

"藏在这儿，就没人会来吃掉它了！"

小猪用鼻子拱了拱她。

"你疯了吗？咱们会挨骂的！"

克洛蒂还没有意识到自己做了什么，但欧内斯特已经想到了后果。

"孩子们，下楼啦！"外婆在厨房喊道。

欧内斯特和克洛蒂吓得慌了神。

"克洛蒂，你先去，我马上来。和外婆说我在洗脸！"

当欧内斯特跑下楼时，发现妹妹和外公外婆都已经围坐在了餐桌旁。

"我们收到了一些防毒面具！"外公一边拆开一个奇怪的包裹一边说。

孩子们惊讶地看着这些东西。

"为什么给我们这个？"欧内斯特问。

"毒气袭击这种事谁也说不准……如果你们闻到奇怪的味道或者看到有烟雾，就马上戴上它……你们

要随时把面具带在身边，明白吗？"

这时，从楼上传来像是有人在挠地板的声音，吸引了大家的注意力。

"楼上是什么声音？"外公看着孩子们问，"是从你们的房间传来的。"

两个孩子吓得脸色苍白。外公朝楼梯走去，大家都跟了上去。他走进孩子们的房间，发现声音是从衣柜里传来的，于是打开了一扇柜门。小泥巴立刻跳了出来，克洛蒂赶紧冲过去抱住了它。

"这是我的小泥巴！我不想它被带走！我不想它被吃掉！"

她伤心极了，泪水止不住地流。

"可是猪不能住在家里，亲爱的！"外婆提醒道，"再说它也不是你的呀！"

外公气得满脸通红。

"你外婆说得对，是你偷来的！这也太丢脸了！"

他说着从克洛蒂怀里夺过小猪。

"勒内，冷静点儿！"外婆劝道，"我们把它还给珍妮就好了。"

"这不是她的错，是我干的！"欧内斯特急忙抢着说，"它一直跟着我……克洛蒂又那么想要它……我以为……"

"哼，你这么想可就大错特错了！"外公打断他，"你得跟我去莫尔托家道歉。"

克洛蒂又哭了起来。

"我才不想搭理莫尔托家的人呢！"欧内斯特气得大喊，"我不去！让他们把猪吃了吧！"

说完，他扭过头，撒腿就跑得不见了踪影。

"外公，我讨厌你！"克洛蒂也喊道，"我不想让他们吃掉小泥巴。"

"唉！真是被这只猪烦死了！"

外公气呼呼地看了外婆一眼，把小泥巴夹在胳膊下，大步走出家门，径直朝莫尔托家的农场走去。

欧内斯特跑到了他的小屋外，一边挥着棍子抽打灌木丛，一边怒气冲冲地抱怨道：

"我受够这破村子了，我要回巴黎！"

谁知莫尔托兄弟俩早就在小屋旁等着他了。他们可不是来讲和的。

"你以为这是你家吗，巴黎佬？你以为你是谁？"马赛隆挑衅道。

"一定是你偷了我们家的猪！"加斯顿跟着嚷道。

欧内斯特张口结舌，小脸唰地红了。

"啊哈！你是不是干了什么见不得人的事！"马赛隆一边说一边逼近欧内斯特，准备动手。

欧内斯特脸色大变，往后退了几步，喊道：

"走开，我又没惹你们！"

"我们要把你和你的破木屋一起毁了！"

加斯顿开始拔树枝，马赛隆则把小屋屋顶的花束扯了下来，还狠狠地踩在脚下。这太过分了，那可是妈妈放的花！欧内斯特气得眼睛发红，朝马赛隆扑了过去，两个男孩在草地上扭打起来。马赛隆很快占了上风，他骑在欧内斯特身上，正准备狠狠揍他一顿。突然，一块牛粪砸在了他的脑袋上。还没等他反应过来，又一块牛粪砸在了他的肩膀上，第三块则砸

在了加斯顿的脸上。

"呸！是牛粪！"

兄弟俩转头朝牛粪飞来的方向看去——在两棵树之间站着一个野丫头，正是昨天把小泥巴还给欧内斯特和克洛蒂的那个女孩。

"是'女巫'！"莫尔托兄弟喊道，"咱们赶紧跑！"

两个人像见了鬼一样逃了。

欧内斯特爬起来，朝女孩走去。可她微微一笑，跑开了。

"嘿,等等!"欧内斯特想叫住她,"你叫什么名字?我叫欧内斯特!"

但是女孩已经跑远了。

欧内斯特在外面待了好久才回家。他担心刚才发脾气的事会被外公外婆责怪。当他鼓起勇气回到家时,却发现克洛蒂正在花园里和小泥巴玩耍。

"咦,它怎么还在这儿?"欧内斯特问。

"你肯定猜不到,外公把小泥巴买下来了!现在它是我的了。"

外公正靠在门框上,笑眯眯地看着他们。

"既然你们可能要在这里待很久……我觉得你们养只宠物也不错。"

这时外婆也从屋里走了出来,笑着点点头。

"我们还要待多久?"欧内斯特有些不安地问。

"得等你们的妈妈病好了……看,看到那边墙上爬的凌霄花[1]了吗?我相信,等它们快爬到屋顶的时

---

1 落叶藤本植物,有攀缘茎,花朵呈喇叭状,颜色鲜艳。

候，你们的妈妈就会回来了。"

克洛蒂抬起头看向凌霄花，一脸困惑。

7

开学了

日子过得真快，不知不觉已经到了10月，白天变得越来越短。欧内斯特和克洛蒂尽量不去想远方的爸爸妈妈，因为一想到爸爸妈妈，他们就特别难过。不过，爸爸寄来一封信，让他们安心了不少。信上说，他被派到了前线，好在战斗还没打响。

接着，开学的日子到了。对于要在格朗维尔上学这件事，克洛蒂兴奋得不行，欧内斯特却怀念起巴黎的学校来。

外婆带着小泥巴，送兄妹俩去村子附近的学校。那里离他们家不远，也就一千米路程。学校是座老建

49

筑，前面有个小院子，院子里种着几棵树。

外婆在学校大门口停下来，温柔地亲吻他们。

"孩子们，祝你们在新学校的第一天过得愉快！外公会在蒂西耶咖啡馆等你们放学，接你们回家。"

克洛蒂蹲在小泥巴面前：

"小泥巴，我上学时你要乖乖的，要听外婆的话哟！"

一走进学校的院子，欧内斯特就觉得特别孤单，心里难过极了。克洛蒂很快就和其他女孩玩起了跳方格游戏，可欧内斯特一直独自坐在长凳上。莫尔托兄弟一看见他就开始捉弄他。欧内斯特没理他们，从书包里拿出了爸爸留给他的书。

"你在看什么书？"一个和他年纪差不多的男孩问道。

欧内斯特抬起头：

"《鲁滨逊漂流记》。你知道这本书吗？"

"当然啦，我很喜欢这本书！在这里我还没遇到过和我一样对这本书感兴趣的人呢。"

男孩在欧内斯特旁边坐下，向他伸出手：

"我叫吉恩。"

"我叫欧内斯特。"

"巴黎佬，没有脑！"马赛隆骂了一句，然后和他弟弟及另一个男孩一起大笑起来。

"别理这些人！莫尔托兄弟就是傻子！"吉恩说，"看到那个跟着他们的男孩了吗？那是蒂西耶商店老板的儿子保罗。他是个小混混！"

这时，四十多岁的赫平先生出现在教室门口。

他穿着西装，系着领带，戴着一副圆眼镜。他将双手交叉在嘴前，模仿起猫头鹰的叫声。

吉恩说："好了，走吧！这就是咱们的上课铃声。咱们的老师可是学鸟叫的专家！"

孩子们走进教室，赫平老师在黑板上写下：1939年10月2日，星期一。然后他说："同学们好！由于最近的特殊情况，有些新同学从很远的地方来到了我们这里。现在，请新同学向大家做个自我介绍吧！"

欧内斯特低下头，紧张得不敢开口。

幸好这时另一个同学站了起来：

"我叫费尔南德·格贝尔，来自阿尔萨斯[1]的一个小村庄奥贝奈。"

他说话时带着浓重的阿尔萨斯口音[2]，班里同学都被逗笑了。

"还有我，我住在诺曼底的格朗维尔！"马赛隆故意模仿费尔南德的口音，怪腔怪调地说。

同学们笑得更厉害了，可赫平老师不喜欢这样。

"够了！真不像话！你就这样欢迎新同学吗？费尔南德是因为战争暂时离开了家乡。有些同学可能忘了，我提醒一下：阿尔萨斯和诺曼底一样，都属于法国。"

这时克洛蒂举起了手："我也是新来的。我叫克洛蒂。"

她指了指后排的欧内斯特："我和哥哥欧内斯特从巴黎来，现在住在外公外婆家。"

---

1 阿尔萨斯在1870—1871年普法战争后同洛林东部地区一起被划归德国。1918年重归法国。
2 阿尔萨斯人说德语的阿列曼方言，兼用法语。

“但我妈妈就出生在这儿！”欧内斯特赶紧站起来补充道。

“巴黎佬，没有脑！”加斯顿又小声地说了一句。

同学们又笑了起来。

赫平老师说：“加斯顿，你有没有觉得‘莫尔托，废话多’也很押韵呢？”

这下全班同学都被逗得哈哈大笑，只有莫尔托兄弟俩没笑。

那天接下来的时间没再发生什么特别的事。

下午五点，教堂的钟声响起，开学第一天的课程结束了。

欧内斯特拉着妹妹的手走出学校。按照外婆所说，他们在村里的蒂西耶咖啡馆找到了外公。外公正在和几个常客一起听收音机里的最新消息呢。他给了欧内斯特一些零钱，让他去隔壁买糖。蒂西耶夫妇在村里开了一个咖啡馆和一家杂货店，两个店铺中间用一扇门连着。蒂西耶夫人在咖啡馆招呼客人时，蒂西耶先生就在杂货店里忙活。

当孩子们走进杂货店时，店里正有一位夫人要买肉和油，可蒂西耶先生说没有。

"没办法呀，夫人，这可是战争时期！"

这位顾客一脸失望地走了。接着轮到费尔南德买东西了。

"请给我一斤糖。"费尔南德说。

蒂西耶先生惊讶地看了他一眼。

"你是从哪儿来的，口音这么奇怪？"

莫尔托兄弟的朋友保罗这时正好从地窖里爬出

来，随口答道：

"他是德国人！"

"什么？你们德国佬都到这儿来抢我们的储备物资了？"蒂西耶先生生气地说。

"不是的，先生！"欧内斯特赶紧插嘴，"他不是德国人，他是阿尔萨斯人！"

"对我来说都一样！都是德国佬！"

蒂西耶先生走到门口，把门打开，想让费尔南德明白，自己的店不欢迎他。

"我不卖东西给德国佬。再说，糖都卖完了！"

就在费尔南德要离开的时候，欧内斯特早上刚认识的朋友吉恩和他的妈妈走了进来。

"哦，吉伯特夫人！您好呀！"蒂西耶先生满脸堆笑地向她鞠了一躬，"您要买的东西都准备好了。"

然后他冲儿子喊道：

"保罗！把吉伯特夫人的东西拿上来。"

保罗打开活板门去地窖了。吉恩把费尔南德、欧内斯特和克洛蒂介绍给他的妈妈。

听完介绍，吉恩的妈妈点了点头，突然想起了什么，对蒂西耶先生说："麻烦再给我点儿糖，谢谢！"

"当然没问题，夫人。"蒂西耶先生愣了一下，对着地窖喊道，"保罗，再拿两斤糖给吉伯特夫人！"

克洛蒂立刻反应过来：

"蒂西耶先生刚才不想卖糖给费尔南德，还说没有糖了！"

吉伯特夫人听了，突然不笑了。

"这是怎么回事，蒂西耶先生？"

杂货店老板一下子变得很尴尬，解释道：

"他的口音有点儿怪，所以我没听明白他想要什么。"

然后他又对着地窖喊道：

"保罗！给你朋友也拿点儿糖上来。"

"我们也想要一些！"欧内斯特赶紧说。

蒂西耶先生只好又改口说："给你的两个朋友都

拿点儿糖上来。”

自从进了商店，克洛蒂就一直盯着一盒蜡笔。

“请问，这盒蜡笔多少钱？”这会儿她终于开口问道。

“不行，克洛蒂，咱们的钱只够买糖。”欧内斯特不好意思地说。

“别担心。”吉伯特夫人说，“蒂西耶先生会很乐意送给你这盒蜡笔的，就当是见面礼了。是不是呀，蒂西耶先生？”

蒂西耶先生不敢反驳，只好答应了。

保罗从地窖里出来了，抱着一大堆东西。大家

结完账，就带着各自采购的东西离开了。

蒂西耶先生对吉伯特夫人的态度让欧内斯特感到很惊讶。走在回家路上的时候，吉恩向他解释道：

"我爸是镇长。所以蒂西耶先生只好忍气吞声了！"

"这样啊！"吉恩的话在欧内斯特心里留下了很深的烙印。

吉恩看向妈妈，发现妈妈正在和欧内斯特的外公聊天。

"妈妈，我可以去欧内斯特家玩吗？"

"当然可以！"吉伯特夫人回答，"只要勒内先生同意，我就没意见。"

"可以呀！"外公说，"我们家有好多点心。吃完点心，我正需要两个强壮的小帮手呢！"

8

争　议

　　回到家，他们发现邮递员巴蒂斯特正坐在厨房里。克洛蒂一下子冲过去，着急地问："叔叔，有我妈妈的来信吗？"

　　巴蒂斯特故意在邮包里翻来翻去逗她玩，过了好半天才拿出一个信封：

　　"啊！在这儿呢！"

　　小女孩高兴坏了，连忙接过信递给欧内斯特：

　　"可以念给我听吗？"

　　欧内斯特有点儿紧张，平复了一下心情，然后开始读起来：

我亲爱的孩子们，希望你们一切都好。我非常想念你们，每天都在不停地想你们。我在这里休养得很好，身体已经感觉好多了！我收到爸爸的消息，他现在驻扎在马其诺防线，那里很安全。爸爸一切都好，我和爸爸送给你们一个大大的吻。你们要听话，多给外公和外婆帮忙。

非常爱你们的妈妈

读完信，大家沉默了好一会儿。欧内斯特和克洛蒂心里酸酸的，眼泪在眼眶里直打转。这封信让他们越发想念爸爸妈妈了，但他们拼命忍着不哭出来。

这时外婆开口说：

"看来她把自己照顾得很好。我相信她在疗养院能得到很好的治疗。"

"您觉得妈妈很快就能康复吗？"欧内斯特满脸担忧地问。

"当然啦！好了，孩子们，该吃点心了！"说着，外婆从烤箱里取出一块香喷喷的蛋糕。

巴蒂斯特又接着去送信了。

"孩子们，"外公说，"别忘了，我有个特别重要的任务需要你们帮忙呢！咱们快点儿吃完，赶紧行动。"

村庄离海很近，高高的白垩悬崖沿着细沙沙滩一路延伸。外公交给男孩们的任务正是装沙袋。欧内斯特拿着铲子往大帆布袋子里装沙子，吉恩配合他把袋子口敞得大大的。外公则在一旁把装满沙子的袋子搬到马车上。克洛蒂带着小泥巴在海边玩得十分开心。

太阳快落山了，一阵凉风吹过岸边。秋天真的来了。

装了大概十袋后，欧内斯特有点儿不耐烦了。

"够了吧，外公，我没力气了。"

"永远都不够！"外公回答，"马其诺防线也许能挡住坦克，可挡不住飞机呀。咱们准备的沙袋越多，就越能更好地保护自己，免受轰炸。不过，要是你们想休息一下也行……"

就在这时，欧内斯特看到了森林里的那个女孩。之前就是她找到了小泥巴，还帮着赶走了莫尔托兄

弟。女孩正蹲在一块岩石上，手里拿着篮子，静静地看着他们。欧内斯特友好地朝她挥了挥手，女孩便走了过来。吉恩却露出了惊讶的表情，说：

"你在跟'女巫'打招呼？"

"'女巫'？"欧内斯特重复了一遍，"你也这么叫她？"

"对，她和她爸爸一起捡海藻。她身上很臭，别和她交朋友！大家都说她是个女巫。有一次她还给安东尼下毒，就是班上那个红头发的小孩。她给了安东尼一颗糖，从那以后他就变傻了！"

"女巫"走近了，伸出手，把篮子递到欧内斯特跟前：

"我在捡蛤蜊，你想尝尝吗？"

吉恩露出嫌弃的表情。

"别吃，肯定有毒！"

女孩瞪了吉恩一眼。

面对吉恩的警告，欧内斯特一时不知道该怎么办。他想接过篮子，却又有点儿害怕。

"好吧，我懂了。"女孩最后说，她不想一直举着篮子了，"你们知道有什么比一个男孩更蠢吗？"

欧内斯特和吉恩都没吭声。

"答案是两个男孩！"说完，她又骂了一句"蠢货"，就转身快步走开了。

欧内斯特看着她远去的背影愣了一会儿，他们才继续沉默地干起了活儿。

又装了几袋沙子后，外公决定回家了。

"今天就到这里吧，孩子们。欧内斯特，去叫一下妹妹。来吧，吉恩，你也该回家了，天快黑了。"

"哦，糟了！"吉恩这才意识到时间已经不早了，"再见，勒内先生！明天见，欧内斯特！"

外公抓住小马皮科坦的缰绳，赶着马车沿着小路慢慢向村里走去。

第二天，在学校的操场上，莫尔托兄弟和费尔南德吵了起来。

周围很快聚集了很多孩子。

"你这个德国佬！"马赛隆说。

"你敢再说一遍，我就把你的牙打掉，乡巴佬！"

在保罗和弟弟加斯顿的怂恿下，马赛隆继续

骂道：

"听着！你是个间谍！"

这个从阿尔萨斯来的男孩被彻底激怒了，朝着马赛隆就冲了过去，两个人你一拳我一脚地扭打在一起。欧内斯特和吉恩赶忙上去劝架，可根本拉不开他们。周围大多数同学不但不帮忙，还在一旁起哄，想看他们俩打得更热闹。

幸好赫平老师及时赶到，冲进人群把他们拉开，才让局面没有进一步恶化。

"莫尔托！格贝尔！这是怎么回事？"

"他骂我乡巴佬！"马赛隆恶人先告状。

"老师，是马赛隆先骂费尔南德是德国佬的！"欧内斯特插话道。

欧内斯特这话一出口，莫尔托兄弟二人狠狠地瞪了他一眼。

"就是因为你们这样子，我们才会陷入战争！"赫平老师严肃地对这两个打架的孩子说，"都给我进教室去！既然你们还不明白阿尔萨斯是怎么回事，那就好好学习学习！"

所有孩子都低着头乖乖走进教室。只有马赛隆还不甘心，对欧内斯特和费尔南德做了个难看的鬼脸。

下午放学后，吉恩、欧内斯特和费尔南德在学校大门口聊天，莫尔托兄弟俩又来找费尔南德的麻烦了。

"你以为这事就这么算了？是男人咱们就去教堂后面把事情解决，省得赫平老师在这儿管着！"

这时，莫尔托家的大哥皮埃尔推着车路过，拦住了他们："快过来帮我一把！"

马赛隆转头对费尔南德说："这事没完，今晚六点见！"

"我会去的！"费尔南德毫不示弱地回答，"你可吓不到我！"

莫尔托兄弟俩跟着他们的大哥走了，其他同学也都散了。

9

阵亡将士纪念碑

欧内斯特坐在餐桌前写作业，在他旁边画画的克洛蒂一直叽叽喳喳地说个不停，让他根本没法集中注意力。这时，外公抱着一堆木头走进来，把木头放进了旧铸铁炉子里。这个炉子既能用来做饭又能取暖。

"作业做得怎么样了？"外公问。

"我都做完啦！"克洛蒂回答。

欧内斯特则叹了口气：

"因为班上有个从阿尔萨斯来的男孩，叫费尔南德·格贝尔，所以我们在学习阿尔萨斯的历史。这太难了……有些人连阿尔萨斯是法国的一部分都不知道。"

外公听闻转过身来：

"格贝尔？我跟他爷爷很熟呢！他爷爷以前也生活在这儿……对了，我还知道一个关于他的故事，你们肯定想知道。"

外公关上炉子，来到孩子们身边坐下，讲了起来：

"事情是这样的！格贝尔的爷爷是个特别厉害的水手……"

欧内斯特和克洛蒂一下子来了精神，竖起耳朵听着。他们听得十分着迷，等外公讲完整个故事，他们浑然不觉都已经晚上六点了。外公讲完就忙自己的事去了，两个孩子趁机跑出了家门。

他们跑到教堂后面，也就是马赛隆和费尔南德约架的地方。他们俩果然都在那儿，旁边还有几个围观的同学。激烈的搏斗已经开始了。

"别打啦！"欧内斯特跑得气喘吁吁的，但还是

赶快大声喊道，"我有件事要告诉你们。"

　　加斯顿和保罗拦住他的去路，又猛地推了他一把，欧内斯特一下子摔倒在地上。

　　"别管闲事，书呆子！"加斯顿威胁他道。

　　克洛蒂冲过去狠狠地踢了加斯顿一脚。保罗见状气得满脸通红，朝着克洛蒂冲过去，嘴里还喊着要给她点儿颜色看看。就在这时，小泥巴出手了，它猛地一口咬住保罗的小腿，保罗疼得尖叫起来。

趁着场面混乱，欧内斯特赶紧拉开正在打架的两个人。吉恩也帮着欧内斯特一起拉架。

"我得给你们讲个故事！"欧内斯特又喊了一遍。

"我们才不听你的故事呢！"马赛隆叫道。

费尔南德却说："不，我想听。快讲吧，欧内斯特！赶紧讲！"

吉恩趁机抓住马赛隆，欧内斯特赶紧用最简短的话语把外公讲的故事转述给他们：

"你们俩的爷爷是世界上最好的朋友！费尔南德的爷爷还救过马赛隆的爷爷呢！在一个暴风雨的夜晚，马赛隆的爷爷快淹死的时候，是费尔南德的爷爷跳进水里把他救了上来！"

两个打架的男孩听到这里都愣住了。

"我有证据！"欧内斯特接着说，"跟我来就知

道了！"

　　大家一起跟着他来到村子广场上的阵亡将士纪
念碑前。

　　"看到了吗？"欧内斯特喊道。

　　在一长串为国家牺牲的村民名单里，有两个熟
悉的名字闯入了他们的眼帘：费尔南德·莫尔托和马
赛隆·格贝尔！

　　"你们俩的名字，费尔南德和马赛隆，就是为了

纪念他们的友谊而取的！"欧内斯特解释道。

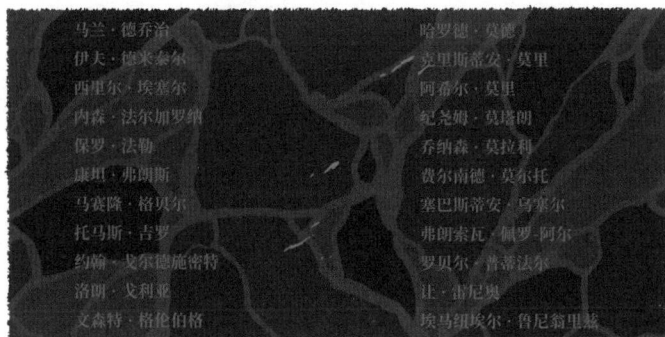

马兰·德乔治　　　　　　哈罗德·莫德
伊夫·德来泰尔　　　　　竞里斯劳父·莫里
西里尔·埃塞尔　　　　　阿希尔·莫里
内森·法尔加罗纳　　　　纪尧姆·莫珞朗
保罗·法勒　　　　　　　乔纳森·莫拉利
康坦·弗朗斯　　　　　　费尔南德·莫尔托
马赛隆·格贝尔　　　　　塞巴斯蒂安·乌寨尔
托马斯·吉罗　　　　　　弗朗索瓦·佩罗-阿尔
约翰·戈尔德施密特　　　罗贝尔·普蒂法尔
洛朗·艾利亚　　　　　　让·雷尼奥
文森特·格伦伯格　　　　埃马纽埃尔·鲁尼翁里兹

马赛隆看着费尔南德，眼神有点儿怪：

"你爷爷是在这儿出生的吗？"

"是啊，我爸爸也是在这儿出生的！后来他去了阿尔萨斯，在那儿娶了我妈妈。"

马赛隆的脸色一下子又变了：

"哼，就算我们的爷爷是朋友，但你还是德国佬，我要……"

尽管吉恩和欧内斯特拼命阻拦，两人还是又打了起来。

幸好村里的牧师恰巧路过，制止了他们：

"你们不要再闹了！这样打架不觉得丢人吗？"

马赛隆又先发制人地嚷嚷起来：

"是欧内斯特！他说我爷爷和费尔南德的爷爷是朋友，所以我才叫马赛隆！"

"这是真的！"牧师肯定地说道，"我可清楚着呢！你还是我洗礼的。你们的爷爷从天上看到你们两个像小混混一样打架，一定很伤心。"

大家都不好意思地低下了头。牧师又教训他们：

"趁我还没跟你们的父母告状，都给我赶紧回家！"

孩子们立马跑开了。吉恩、费尔南德、克洛蒂、欧内斯特，还有小泥巴一起往回走。

"你们知道有什么比一个莫尔托还傻吗？"吉恩问。

"答案是两个莫尔托！"欧内斯特立刻回了一句。

大家听了，忍不住哈哈大笑起来。

10

誓 言

这一天放学后，欧内斯特向他的朋友吉恩和费尔南德发出了邀请：

"嘿！你们想来看看我的小屋吗？"

"好啊！"费尔南德点点头。

"我也很乐意！"吉恩说道。

"好呀好呀！"克洛蒂更是激动得大喊起来，"快来快来，大家都去小屋玩！"

可到了那儿，欧内斯特愣住了。他的小屋变成了一堆废墟，树枝全被拔了出来，踩得不成样子，扔得到处都是。欧内斯特既生气又难过，心里像是燃起了一团火。

"这是谁干的？"克洛蒂几乎要哭了。

"还能是谁？肯定是莫尔托家那兄弟俩！"吉恩答道。

"别难过，欧内斯特。"费尔南德赶忙安慰他，"我们帮你再搭个小屋，比这个还大，还结实！在他们找不到的地方！"

"可他们很熟悉这片森林，这些坏蛋！"吉恩皱着眉头。

就在这时，小泥巴突然转过头盯着森林深处，大家都朝那里看了过去。

欧内斯特好奇地走过去，发现有个人躲在那儿偷偷看他们。原来是那个被称作"女巫"的女孩。女孩发现自己被看到了，转身就跑。欧内斯特赶紧追在后面，没跑几步就追上了她。

"你要干吗？"女孩转过身来问道。

欧内斯特脸红了。

"呃……我想道歉……上次蛤蜊的事，是我做得不对……"

"哼，你就是个大笨蛋！"

"其实，我想和你做朋友，我叫欧内斯特。"

"我知道你叫什么。我叫铃兰。你们是不是在给小屋找新地方呀？"

欧内斯特露出沮丧的神情。

"没用的，反正莫尔托兄弟俩总能找到。"

"我知道一个地方，谁都没去过……"

欧内斯特的眼睛一下子瞪得大大的，紧紧盯着铃兰。

几分钟后，大家一起走进了一片树林，越往里走，树木就越茂密。铃兰在前面带路，她对这儿的路特别熟悉。最后，她在几棵树前停下了。这些树的叶子密密的，连成一片，像一堵厚厚的墙。

"就是这儿！"她开心地说，"跟我来！"

铃兰趴在地上，从一片灌木丛下面钻了进去。其他人虽然心有疑虑，但还是跟着钻了进去。

等从另一边出来，大家都惊呆了。只见眼前出现了一座破破烂烂的房子，墙壁已经破损，屋顶也没了。房子里的地面上长满了草，中间还长着一棵大树。

"太不可思议了！"欧内斯特喊道，"我们可以用树枝来支撑屋顶！"

"对呀，我们还可以在上面建个观察哨！"吉恩补充道。

大家都非常兴奋。

欧内斯特转向朋友们征询道：

"我提议让铃兰加入我们。有谁反对吗？"

只有吉恩仍对铃兰和她"女巫"的名声有所顾虑，不过他感觉到自己的朋友们已经被她的行动说服了，心想也许他之前听到的都是流言。

最终，吉恩伸出手："我同意！"

铃兰握住了他的手。其他三个人围着他们俩，把手一个个搭在这两只握在一起的手上面。

　　"我提议咱们起个队名，就叫'鲁滨逊'吧！"
欧内斯特说，"我发誓永远不会泄露咱们的藏身地！"

　　铃兰、吉恩、费尔南德和克洛蒂齐声说："我发
誓永不泄露！"

11

"奇怪战争"的结束

格朗维尔的秋天不声不响地溜走了。这里似乎丝毫没有受到紧张的国际局势的影响——战争还没有在法国真正开始呢。

接着，冬天到了。这年的冬天特别冷。虽然天寒地冻，可欧内斯特他们还是在努力地建造小屋，小屋也渐渐有模有样了。临时屋顶很快盖好了，吉恩一直念叨的观察哨也搭好了。

他们砍了几根大树枝，然后绑在一起，做成了梯子。

妈妈经常给欧内斯特和克洛蒂寄来让人安心的

信。每次收到信，两个孩子都高兴得不得了。虽说妈妈在信里说得很轻松，可她的身体其实并没有好转。爸爸罗伯特也一直在前线，没有要回来的迹象。欧内斯特和克洛蒂慢慢接受了一个事实，那就是要在外公外婆家待一整个学年。好在有吉恩、费尔南德、铃兰和小泥巴陪着他们。小屋建在没人知道的地方，成了孩子们真正的"秘密基地"。

到了第二年春天，战争形势有了新变化。

1940年5月的一天，鲁滨逊小队正在海滩上玩，一场空战突然在他们的头顶打响了。一架德国梅塞施米特战斗机追着一架法国战斗机打。法国战斗机在天空中左躲右闪，想要躲开德国战斗机的攻击。

"加油啊！快躲开！把它打下来！"地上的孩子们大声喊着，给法国飞行员加油助威。

可德国战斗机紧追不舍，最后还占了上风。只见法国战斗机的驾驶舱里冒出一股浓浓的黑烟，随后战斗机一头扎进了海里。

鲁滨逊小队的成员们都惊呆了。他们头一回看

到有人在战斗中死去，心里害怕极了。

　　过了几天，格朗维尔东边的天空在夜里变得红彤彤的，像着火了一样。远处的火光在地平线上升起一大片红色，同时传来一阵阵的爆炸声。欧内斯特、克洛蒂，还有外公外婆吓得眼睛都直了。

　　"哎呀，糟糕！迪耶普[1]被轰炸了！"外公焦急地看着远方说。

---

1 法国北部城市，第二次世界大战中遭到严重破坏。

　　战火烧到了家门口，往后的日子肯定更不好过了。至此战争的第一阶段——后来被称为"奇怪战争"的时期结束了，也就是说，真正的战争开始了……

未完待续……

真实事件

探寻"悠悠长假"背后的历史

第一次世界大战

1914年至1918年，30多个国家在全球范围内，进行了历时4年又3个月的交战。在欧洲形成同盟国（德、奥匈、意组成）和协约国（英、法、俄组成）两大军事集团，双方为重新瓜分世界、争夺殖民地展开激烈斗争。卷入战争的人口在15亿以上，死伤3000多万人。大战以同盟国集团的失败而告终。

为何爆发
第二次世界大战？

第一次世界大战后，战败的德国经济崩溃，丧失包括1871年夺取的阿尔萨斯－洛林在内的大片领土。许多德国人倍感屈辱，渴望复仇。

同时，各国疆界剧变，新国家诞生，部分国家企图扩张，对立政治体系相继建立。1929年，资本主义世界爆发了规模空前的经济大危机，德、意、日三国国内外矛盾进一步激化，它们企图通过发动侵略战争称霸世界。

阵亡将士纪念碑

第一次世界大战后，法国每座城镇都建有一战阵亡将士纪念碑。碑上镌刻着本地阵亡将士的名录以示纪念。

第二次世界大战爆发

1935年，德国公开撕毁《凡尔赛条约》，实行义务兵役制，建立起庞大的军队。1936年，德国派兵进驻莱茵非军事区；1938年，吞并了奥地利；1939年3月，又吞并了捷克斯洛伐克。

1939年9月1日，装备精良的纳粹军队突袭波兰，波兰人民奋起抵抗。9月3日，波兰的盟国英、法被迫宣战，第二次世界大战全面爆发。

随着战火的不断蔓延，出现了欧洲西线战场、北非战场、欧洲东线战场及太平洋战场等主要战场。中国自1937年七七事变后，开始全民族抗战。中国战场是世界反法西斯战争的东方主战场。

相比于曾经带领法国走向胜利的先驱们，波兰人也毫不逊色。

同盟关系

1936年10月，德国和意大利达成协调外交政策的协定。11月，墨索里尼说："从柏林到罗马的这一条垂直线不是区分线，而是一个轴心，所有怀着合作与和平愿望的欧洲国家都可以围绕这个轴心运转。这就是"轴心国"一词的来源。

11月25日，德国与日本签订了《反共产国际协定》，意大利于1937年加入，法西斯同盟初步形成。1940年9月，三国在柏林签署了《德意口三国同盟条约》，法西斯同盟正式建立。

可怕的肺结核

和欧内斯特、克洛蒂的母亲一样，当时许多人都患上了肺结核。这种疾病主要侵袭肺部，患者常见症状有剧烈咳嗽、呼吸困难、胸痛、乏力等。

在当时，治疗肺结核需要患者长期远离城市，在疗养院进行专门的治疗。如今卡介苗可有效预防肺结核。

"奇怪战争"

亦称"静坐战争"。法国对德国宣战后，两国边界在长达8个月的时间里未发生真正的战斗。双方军队在战壕中静坐观望，出现了战争史上罕见的宣而不战的奇怪现象。1940年5月德国进攻西欧，这种状态才宣告结束。

马其诺防线

第二次世界大战前，法国为防止德国入侵，在与德国、卢森堡和比利时相邻的边境上构筑的永备筑垒配系。防线全长390千米，共构筑各类永备工事5800个。1940年德军经阿登山区，迂回至该防线侧后攻入法境，轻松突破防线。

恐怖的闪电战

　　侵占波兰后，德国进攻了北欧的丹麦、挪威，不久又向荷兰、比利时发动了大规模袭击。1940年5月德军入侵法国，仅用六周便迫使法国投降。书中提到的诺曼底迪耶普陷落就发生在1940年6月。欧内斯特、克洛蒂与外公外婆目睹了这一切。

Title #1: Une drôle de guerre – Les grandes grandes vacances © Bayard Editions, 2024
Texts: Michel Leydier
Illustrations: Emile Bravo
Simplified Chinese edition is arranged via Dakai-L'Agence.

著作权合同登记号　图字：01-2025-3255

图书在版编目（CIP）数据

悠悠长假 . 1, 奇怪的战争 / （法）米歇尔·莱迪耶
(Michel Leydier) 著；（法）埃米尔·布拉沃
(Emile Bravo) 绘；水冰译 . -- 北京：北京科学技术
出版社 , 2025. -- ISBN 978-7-5714-4765-6

Ⅰ . I565.84

中国国家版本馆 CIP 数据核字第 2025Y5P016 号

策划编辑： 周孟瑶	**电　话：**	0086-10-66135495（总编室）
责任编辑： 李珊珊		0086-10-66113227（发行部）
责任校对： 贾　荣	**网　址：**	www.bkydw.cn
封面设计： 孟　娜	**印　刷：**	北京顶佳世纪印刷有限公司
图文制作： 木　木	**开　本：**	787 mm×1092 mm　1/32
责任印制： 李　茗	**字　数：**	46 千字
出 版 人： 曾庆宇	**印　张：**	3.125
出版发行： 北京科学技术出版社	**版　次：**	2025 年 9 月第 1 版
社　　址： 北京西直门南大街 16 号	**印　次：**	2025 年 9 月第 1 次印刷
邮政编码： 100035		
ISBN 978-7-5714-4765-6		

定　价： 30.00 元